幼儿小百科
这就是科学

项华◎编著

北京联合出版公司
Beijing United Publishing Co.,Ltd.

图书在版编目 (CIP) 数据

这就是科学 ／ 项华编著 .—北京：北京联合出版公司，
2018.5（2018.10 重印）

（幼儿小百科）

ISBN 978-7-5596-1934-1

Ⅰ．①这… Ⅱ．①项… Ⅲ．①科学知识－儿童读
物 Ⅳ．① Z228.1

中国版本图书馆 CIP 数据核字 (2018) 第 068740 号

幼儿小百科

·这就是科学·

选题策划：日知图书

项目策划：冷寒风

责任编辑：杨　青　高霁月

特约编辑：王世琛

插图绘制：铁皮人美术

美术统筹：吴金周

封面设计：何　琳

北京联合出版公司出版

（北京市西城区德外大街83号楼9层 100088）

艺堂印刷（天津）有限公司印刷 新华书店经销

字数10千字　720×787毫米　1／12　4印张

2018年5月第1版　2018年10月第2次印刷

ISBN 978-7-5596-1934-1

定价：24.90元

目录

第一章　科技力量大

为什么它们会发光……4

声音"快递员"：电话……6

电脑也会"生病"……8

"魔术师"照相机……10

飞行的奥秘……12

海里的交通……18

火车呜呜跑得快……20

这是为什么……22

第二章　生活小课堂

我的小"尾巴"：影子……24

窗户上的雾气……26

自来水不"自来"……28

"爱砸人"的苹果……30

肥皂起泡泡……32

它们可以这样用……34

第三章　自然奥秘多

抓不住的空气……38

太阳和月亮……40

好可怕的雷电……42

雨雪天气要注意……44

美丽的"彩虹桥"……46

游戏时间：影子连连看……48

为什么它们会发光

· 电灯 ·

电灯是家家户户都有的日常照明工具，和我们的生活息息相关。

钨丝

其实，灯泡中间有一根很细的、弯弯的钨丝。

电灯总是很勤劳，好像只要按下开关，就会时刻发光发热。

钨丝是一种不容易熔化的金属材料。按下电灯开关，电流通过钨丝时，会遇到很大的阻力，阻力越大产生的热量越多。就像烧红的铁能发光一样，当钨丝达到很高的温度时，会发出黄白色的光，电灯就亮了。

· 手电筒 ·

手电筒也是一种应用很广泛的照明工具，外出携带十分便利。

一般的手电筒由小灯泡、电池、电路、开关等部件组成。

电池

手电筒里有几节电池，能发光全靠这电池供电。当启动手电筒的开关时，电池的两头就会被接通，形成一个闭合的电路，这时电流从电池中流过灯泡，灯泡就亮了。

声音"快递员"：电话

· 电话的原理 ·

电话是人们远距离进行交流的一种通信设备，那么，电话是怎么传递声音的呢？

电话通信是通过声能与电能相互转换、并利用"电"这个媒介来传输语言的一种通信技术。

当人对着话筒说话时，声带的振动会引起空气振动，形成声波。而声波作用于送话器就会产生话音电流。当话音电流沿着线路传送到对方电话的受话器内，受话器又会将电流转化成声波，再通过空气传到对方的耳朵中。

· 电话的制作 ·

1876 年，美国的发明家贝尔成功制作出了电话，成为电话发明的专利人。贝尔曾设想将电话线埋到地下或是架到空中，让全世界的人们都能通话。如今，贝尔的设想已经成为了现实。

小实验：制作传声筒

材料： 纸杯2个，长棉线，牙签。

步骤： 用牙签在两个纸杯的底部各穿一个小孔，将长棉线的两头分别从两个纸杯底部的小孔中穿入，并打上结。这样，简单的传声筒就制作好了。

使用方法： 两个人各拿一个纸杯，将连接两个纸杯的线拉直，一个人对着杯口说话，另一个人将纸杯扣在耳朵上听。是不是能够很清楚地听到对方的声音？

电脑也会"生病"

聪明的电脑

电脑十分聪明，只要发给它指令，它都能接收并且执行，能完成许多复杂的操作。可是，尽管电脑这么聪明，它的大脑也会"生病"，而且有时候还会感染上电脑病毒。

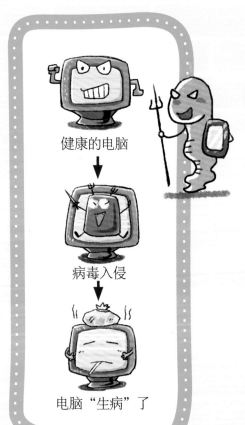

健康的电脑

↓

病毒入侵

电脑"生病"了

什么是电脑病毒

电脑病毒是编制者悄悄在计算机程序中插入的，会破坏计算机功能或者数据的代码。电脑病毒只有在执行含有病毒的文件时才会发作，在没有发作的时候，很难被发现。

电脑病毒不但具有破坏性，还具有传染性。如果病毒被复制或产生变异，就会让越来越多的电脑文件中毒、甚至被破坏，影响人们使用电脑。

· 预防电脑病毒 ·

安装防火墙，使用一些权威的杀毒软件，定期对电脑进行检查，可以避免电脑"中毒"。

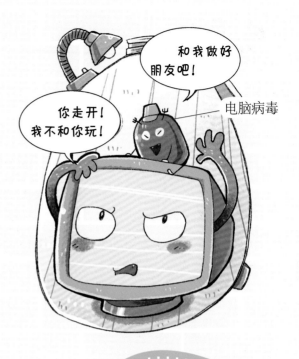

和我做好朋友吧！

你走开！我不和你玩！

电脑病毒

"生病"的电脑很难受。

你知道吗？

世界上的第一台电脑名为"埃尼阿克"，它于 1946 年 2 月，在美国宾夕法尼亚大学宣告诞生。

使用电脑的时间不可以太长，使用时也要注意眼睛不能离电脑屏幕太近。养成良好的电脑使用习惯，才能让电脑成为我们的好帮手。

"魔术师" 照相机

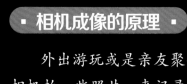

相机成像的原理

外出游玩或是亲友聚会时，大家都爱用相机拍一些照片，来记录开心的时刻。只要"咔嚓"一按，当时的情景就会留在照片上。神奇的"魔术师"照相机是怎么成像的呢？

当我们用传统相机拍照时，光线从镜头进入照相机并落在底片上。而底片是用一种特殊材料做成的，上面涂有感光物质，当光线进入相机时，感光物质发生作用，景物的像就被留在上面，再经过冲洗，使底片印在相纸上，照片就出来了。

每张照片上都有一层薄薄的药膜，它能够与阳光发生反应。当彩色照片被太阳光照射的时间长了，照片上的药膜会发生变化，让照片褪色。这样，这些彩色照片就不再那么漂亮艳丽了。

妈妈，这张照片怎么褪色了呀？

宝贝，原因是这样的……

飞行的奥秘

· 风筝 ·

阳光明媚的时候，经常能看到有人在公园的空地上放风筝。其实，风筝飞上天的原理很简单。

放风筝时，风吹在风筝上，会产生一种升力，将风筝托起来。风筝的前端比较轻，这样只要风筝的线足够长，风的升力就能让风筝越飞越高。

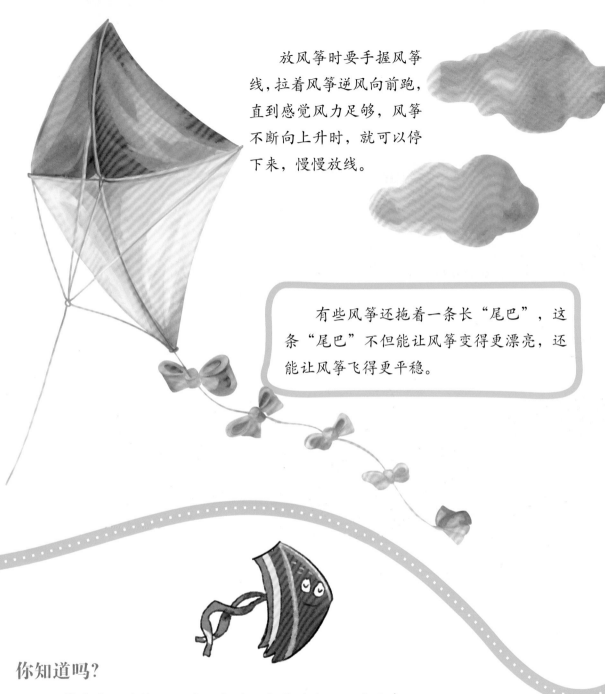

放风筝时要手握风筝线，拉着风筝逆风向前跑，直到感觉风力足够，风筝不断向上升时，就可以停下来，慢慢放线。

有些风筝还拖着一条长"尾巴"，这条"尾巴"不但能让风筝变得更漂亮，还能让风筝飞得更平稳。

你知道吗?

风筝是中国的传统工艺，发明于春秋时期，距今已有2000多年。最早的风筝是用木头做的，后来改用竹子制作，直到东汉时期的蔡伦改进造纸术后，才开始出现用纸做的风筝，被称为"纸鸢"。宋朝时，放风筝成为了百姓喜欢的活动。

· 飞机 ·

　　飞机是 20 世纪初最伟大的发明之一，它是现代社会中不可缺少的交通工具。搭乘飞机，人们可以自由地在蓝天中翱翔，以往去遥远的地方需要几天、甚至几个月，现在出行时间已经被大大缩短。

　　飞机飞行靠的是机翼和发动机。飞机在跑道上助跑时，机翼上方的空气流动速度快，机翼下方的空气流动速度慢，这就产生了一个向上的升力，让飞机能平稳地飞上天。

飞机在空中飞得很高，高空的气温很低。飞机飞行时会排放出大量的暖湿气体，这些气体与高空的冷空气混合，就会凝结成很多小水珠或小冰粒。这些小水珠或小冰粒聚集在一起，仿佛飞机身后拖着的"尾巴"。随着水汽的蒸发，这条白色的"尾巴"又会慢慢消失。

飞机适用于重量轻，时间紧急，航程较远的运输。

有些飞机的发动机连接着螺旋桨，螺旋桨转动带起气流，也能让飞机飞上天。

飞机之父：莱特兄弟

莱特兄弟是美国著名的科学家，他们制造出了世界上第一架依靠自身动力进行载人飞行的飞机，并且试飞成功。这是人类在飞机发展的历史上的一次巨大成功。

▪ 热气球 ▪

热气球是由球体、吊篮和加热器构成的飞行器。它的上半部分是气球状，下半部分是吊篮。加热器加热气球内部，这样，热气球利用内部的热空气比冷空气轻，并且热空气会自动上升的原理，就能升上天空。

热气球有很多作用。它不仅能用于观光旅游，还可以应用于航空训练、科学试验等领域。

热

冷

热气球内部的热空气比冷空气轻。

热气球只能随风而行。不过，不同高度的风有不同的方向与速度，驾驶员可以根据需要调整热气球的高度，达到操控热气球的目的。

你知道吗?

法国的造纸商盂格菲兄弟于十八世纪在欧洲制造了热气球，他们的第一次热气球升空表演比莱特兄弟的飞机飞行早120年。

海里的交通

· 轮船 ·

　　物体在水里时，会受到水的浮力作用。当一个物体所受的浮力比自身重量大时，它就会浮在水面上。轮船虽然很重，但体积巨大，在水里所受的浮力比它自身的重量大，所以能够浮在水面上行驶。

当物体浸在液体中或是气体中时，会受到竖直向上托的力，这就是浮力。

潜水艇

潜水艇由双层壳组成，在两层壳中间的空隙里有若干个水舱，水舱是潜水艇能下潜的真正原因。当水舱里充满水时，潜水艇重量增加，超过了它的浮力，就能沉入水下。当把水舱中的水排干后，潜水艇重量减轻，就能浮出水面。

好呀，我来做个热身运动。

我们来比比谁游得快吧！

潜水艇中能储水的水舱。

嗨，我是巨型潜水艇，很高兴认识你。

你好，我是微型潜水艇。

火车呜呜跑得快

铁轨的作用

平常看到的火车都行驶在铁轨上。铁轨有两个作用：一是承担火车的重量，通过铁轨上的枕木和碎石把压力分散到路面上；二是引导火车前进的方向。

如果火车不在铁轨上行驶，而是像汽车一样在公路上行驶，公路会承受不住火车车轮的巨大压力而被压坏。

你为什么一直在铁轨上走？

没有铁轨，我就迷失方向了。

· 火车轮子多 ·

　　一列火车往往有很多节车厢，就像一条长龙，载着旅客和沉重的货物。火车车厢一多，轮子的数量也就很多，这样能减轻对铁轨和路面的压力，还能让火车本身保持平衡，更加安全。

是你的轮子多还是我的腿多？

不知道，咱们来数一数！

你知道吗?

　　火车是在第一次工业革命期间英国工程师乔治·斯蒂芬森发明的，他被誉为"铁路机车之父"。

这是为什么

冰箱为什么能制冷

冰箱内部有一套制冷设备。

通电后，它会把冰箱里的空气变冷，并把冰箱里的热气散发出去。把冰箱的门关上后，冰箱会被密封得严严实实，这样冰箱内部就能保持低温，食品放入冰箱里就可以保鲜，暂时不会变质。我们可以把暂时不吃的食物储存在冰箱中。

吸尘器为什么能吸尘

吸尘器的"头部"装有一个电动抽风机。抽风机的转轴上有风叶轮，通电后会产生极强的吸力和压力，使空气高速排出，而抽风机前部的吸尘部分的空气不断被补充，这样脏东西就被吸走了。

 **洗衣机为什么能洗衣服**

　　传统的波轮洗衣机依靠装在洗衣桶底部的波轮正、反旋转，带动衣物上、下、左、右不停地翻转，使衣物之间、衣物与桶壁之间，在水中进行柔和的摩擦，就像人用手搓衣服一样。在洗衣机中加入适量洗衣液还能去污，让衣物被洗得干干净净。

 **为什么用吹风机吹头发干得快**

　　用吹风机吹头发，其实是加快了头发上方空气的流动。当液体表面的空气流动加快时，液体的蒸发速度就会加快，所以头发上的水会干得很快。因此，我们也可以用吹风机快速吹干其他东西表面上的水分。

我的小"尾巴"：影子

▪ 影子的形成 ▪

是谁跟在你身旁，你举手它也举手，你抬腿它也跟着抬腿？其实，它就是光线玩的小戏法——影子。

光是沿着直线传播的，当它在传播的过程中遇到不透明的物体，例如墙壁，就会被挡住。光线无法照射到这些物体的背面，于是会形成一片相对黑暗的区域，这片区域就是影子。

影子的形成需要光和不透明物体这两个必要条件。

▪ 会变化的影子 ▪

　　影子的大小和长短不是固定不变的，它会随着光的位置变化而不断变化。把手放在台灯下，手离台灯越远，影子的面积越小；离灯越近，影子越大。早晨和黄昏时，太阳的位置较低，影子比较长；中午时太阳高挂在空中，影子比较短。

黄昏时影子比较长。

中午时影子比较短。

　　利用影子，我们可以玩很多游戏，比如中国古老的皮影戏，还有最简单的手影游戏。

窗户上的雾气

天冷的时候，进入门窗紧闭的屋子里，会看到玻璃窗上雾蒙蒙的一片。这是怎么回事呢？

其实，这是因为冬天室外的温度比室内低，窗户附近的水蒸气遇冷而液化，就在窗户上形成许多小水滴，也就是雾气。

除了窗户之外，还有哪里会形成雾气呢？冬天，从寒冷的户外到温暖的屋子里，眼镜的镜片上常常会蒙上一层雾气。此外，洗完澡之后，浴室的镜子上也会产生雾气。

· 除雾小妙招 ·

玻璃窗上的灰尘微粒是水蒸气聚集的"大本营"，光线遇到这些小微粒会被反射得乱七八糟，也就是我们看到的雾蒙蒙的样子。

用肥皂水能把灰尘微粒擦去，这样，光线也会被整齐地反射，我们就可以看见光亮的窗户了。

冬天室内的温度高，屋子里的水蒸气会变热，碰上冰冷的玻璃就凝结了。因为玻璃有的光滑，有的粗糙，有的一尘不染，有的沾满灰尘，水蒸气蒙上去的时候凝结状况也不均匀，就形成了各种各样的美丽冰花。

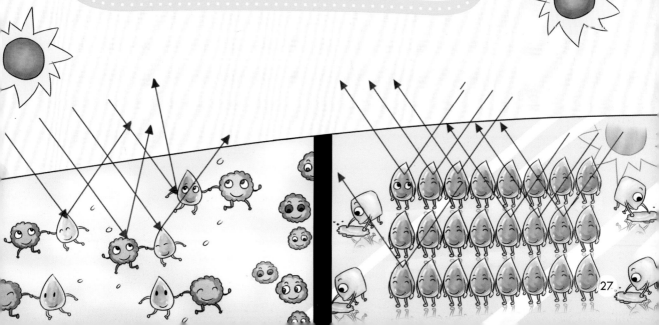

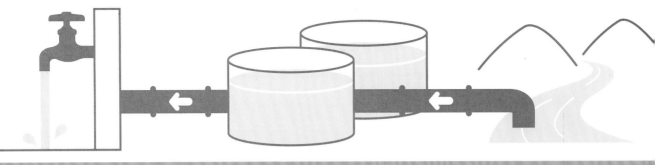

自来水不 "自来"

· 自来水的来源 ·

水管里的水来自不同的地方，有的来自遥远的河流与湖泊，有的来自深深的水井，有的则是天上的雨水。各种各样的水汇集起来，通过管道进入自来水厂，经过净化处理后，再输送到千家万户，供人们使用。

来自大海

来自天上

来自小河

你从哪里来？

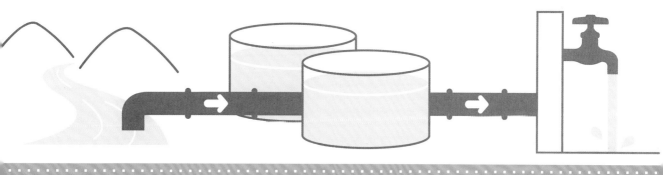

▪ 净化处理 ▪

　　自来水厂工人将水引进蓄水池后，加入明矾，让水里的脏东西沉到水底。然后让水流进滤水池，把脏东西滤掉。但水里仍有看不见的细菌，需要放入氯气，把细菌杀死。最后用抽水机把水引到水塔中，再通过水管送到各家各户。

　　自来水不可以直接喝，必须经过净化、加热、煮沸等处理之后才能饮用。

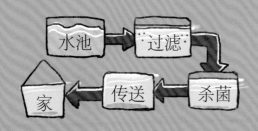

"爱砸人" 的苹果

· 牛顿和万有引力定律 ·

牛顿是英国著名的物理学家、数学家，被誉为"现代科学之父"。他一生致力于科学研究，最著名的发现是万有引力定律。

· 苹果下落的原因 ·

成熟的苹果总是会自然下落，掉到地面上，这是为什么呢？

不管怎么向上跳跃，最后都会落到地面上。看不见的地球引力会将所有的东西都拉向地面。

"自然界中的任何两个物体都是相互吸引的。"根据万有引力定律，可以计算出天体的质量和运行规律。

自然界的任何物体间都有吸引力，这种力叫作万有引力。一个物体如果比相同体积的空气轻，就会浮在空中；如果比空气重，就会因为受到地球的万有引力而下落。苹果比跟自己体积相同的空气重得多，所以成熟时会掉下来。

肥皂起泡泡

· 肥皂的制作方法 ·

肥皂厂的工人先把油脂熔化，再加入液碱，发生化学反应，就生成了液体状的肥皂和甘油。最后把液体肥皂冷凝，用模型切成块，就是我们平时见到的肥皂了。如果在制作肥皂的过程中加入香料，肥皂就会变得香喷喷的。

· 用肥皂水吹泡泡 ·

由于水的表面有一种相互的吸力，而肥皂又加大了这种吸力。水面的水分子间的相互吸引力比水分子与空气之间的吸引力强，这些水分子就被黏在一起，形成了泡泡。

如果水分子之间过度黏合在一起，就不易形成泡泡了。

肥皂的体积会随着使用的时间而变得越来越小。

草莓味的!

这次要吹什么味的泡泡？

小实验：**制作吹泡泡水**

材料：肥皂，杯子，热水，吸管。

方法：让爸爸妈妈帮忙将肥皂切成小薄片，放入杯中，再倒进适量热水，让肥皂片溶化。待肥皂片完全溶化之后，用吸管搅拌均匀，卫生又环保的泡泡水就制作完成了。

它们可以这样用

"折断"的筷子

你能不费力气就把筷子"折断"吗？来利用光线的小把戏，做一个有趣的小游戏吧！

步骤

1. 将一根筷子放到杯子中，从杯子上方观察。

2. 往杯子里倒入大半杯清水，再从杯子上方观察。

现象：筷子浸在水里的部分看上去是弯的，好像被"折断"了一样。

科学大揭秘

这是光的折射现象。因为光在水中比在空气中的传播速度慢，当光进入水中后，立即改变了行进方向，从另一个不同的角度进入我们的眼睛。所以，在水中的筷子看起来是弯的。

杯子交响乐

没有乐器也可以开一场交响曲音乐会,不信吗?那快准备几个玻璃杯,我们一起开始吧!

步骤

1. 向三个相同的玻璃杯中倒入高、中、低不同水位的水。

2. 用筷子分别轻轻敲击3个杯口,仔细聆听。

现象: 用筷子敲击杯口时,水位越高的杯子发出的声音越低。

科学大揭秘

用筷子敲击杯口时,杯子整体振动的声音与杯子里的空气产生共鸣,发出声音。杯子里的水越多,杯子振动得越慢,音调就越低。

· 神奇的梳子 ·

秋冬季节脱毛衣的时候，常常会听到有"刺啦"的声音，这就是静电现象。那么，我们能自己制造静电吗？

步骤

1. 将薄纸撕成小碎片，放在桌上。

2. 拿着塑料梳子，在自己干净、清爽的头发上梳几下。

3. 然后拿起塑料梳子贴近碎纸片。

现象：碎纸片纷纷"跳"着附在梳子上，真是太神奇啦！

科学大揭秘

用塑料梳子梳头发时，梳子上的电荷会重新排列，并吸引纸片上的异性电荷，这样，碎纸片就被吸到梳子上了。

▪ 制造喷泉 ▪

许多广场上都有漂亮的喷泉，现在我们动手制作一个喷泉吧！

步骤

1. 在空饮料瓶中倒入半瓶水，并把它放入脸盆。

2. 把吸管插到水下，在瓶口处裹一圈橡皮泥，密封吸管与瓶口间的缝隙。

3. 从吸管口用力向玻璃瓶里吹气，然后松开吸管。

现象：松开吸管以后，瓶子里的水立即向外喷涌出来，变成"喷泉"。

科学大揭秘

当你向瓶里吹气的时候，吹进去的空气与瓶内原有的空气混合在一起，使瓶内的气压大于瓶外的气压。当你停止吹气并松开吸管后，被压缩的空气赶紧释放压力，把水压到吸管里，瓶子里的水就像喷泉一样涌出来啦！

抓不住的空气

· 空气是什么 ·

空气是看不见的、透明的气体，由好多种气体组成，有氮气、氧气、二氧化碳、水蒸气等。这些气体都很轻，它们没有颜色，所以我们看不见。空气没有气味，所以鼻子闻不到。一个看不见摸不着的东西，当然也就抓不住啦。

· 空气的作用 ·

没有空气，人和动物就无法呼吸，植物无法进行呼吸作用，地球上也不会有生命。没有空气火就不能燃烧，鸟儿无法飞行。云和雨的形成也离不开空气。空气的作用真是说也说不完。

小实验：**杯子吸纸板**

材料：塑料杯，硬纸板。

方法：往塑料杯内倒入满满一杯水。在杯上盖一块面积大于杯口的硬纸板，硬纸板要紧贴杯口，与杯口之间不能有空隙。按住硬纸板，迅速将塑料杯倒立过来，然后轻轻挪开按着纸板的手。

我是空气，我跑得快！

我是空气，你看不见我！

硬纸板牢牢地贴着杯口，
杯子里的水也没有流出来。

这是因为空气虽然看不到、摸不着，但它会对每一个物体施加朝向四面八方的压力。杯子外面的空气向上顶压硬纸板，而杯子里因为装满了水，几乎没有向下压的空气，所以硬纸板不会掉下来。

太阳和月亮

· 太阳 ·

太阳位于太阳系的中心，太阳系内所有的天体都围着它转。太阳是地球的大恩人，如果没有它提供光和热，植物就不能进行光合作用；没有了植物，也就不会有动物和人类。

虽然被叫作"太阳公公"，但太阳其实并不老，它正值壮年。

别看太阳离我们很远很远，可俗话说："太阳打个喷嚏，地球就得感冒。"太阳刮出的太阳风会扰乱地球磁场，让我们看不了电视节目，也没法打电话。

▪月亮▪

大多数晴天的夜晚，我们都能看到月亮。月亮离地球很近，总是在绕着地球转圈。

月亮本身不会发光，月亮的光来自于反射太阳的光。白天不容易看见月亮就是因为太阳光过于强烈，掩盖了月亮反射的光。

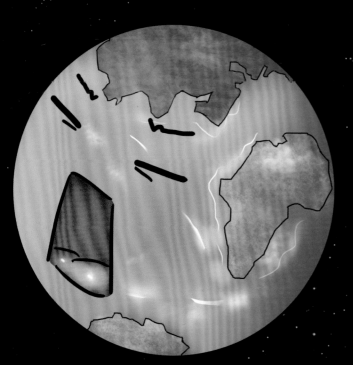

从地球上看月亮，它的样子每天都不一样，有时候是满月，有时候却是弯弯的月牙儿。这是因为月亮绕着地球旋转，地球有规律地挡住了来自太阳的光，导致月亮产生了阴晴圆缺的变化。

好可怕的雷电

白光一闪，闪电出现了。接着，轰隆轰隆，打雷啦！闪电、打雷都是常见的自然现象，下雨时，常常会有电闪雷鸣。闪电和雷像两个形影不离的伙伴，而且，闪电总比雷声跑得快。

云里的水滴和冰粒互相挤来挤去，产生大量的电荷，就会发生放电现象，产生明亮夺目的闪光，这就是闪电。除此之外，云和云之间、云和地之间放电，也能产生闪电。

闪电发生时产生的能量巨大，会使周围的空气温度升高，并且迅速膨胀，就会发出震耳欲聋的雷声。

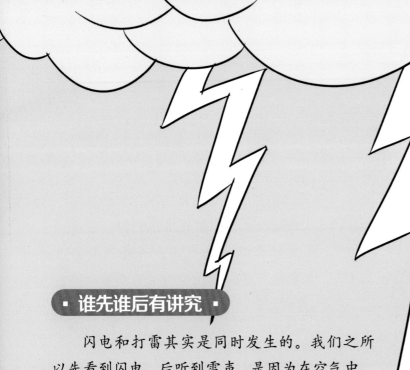

当两块乌云碰撞、摩擦时，会同时产生闪电和雷声。

· 谁先谁后有讲究 ·

闪电和打雷其实是同时发生的。我们之所以先看到闪电，后听到雷声，是因为在空气中，光的速度比声音的速度快得多，因此我们会误认为是先闪电，后打雷。

高楼上聚集着很多叫"电荷"的东西，这种东西最容易把雷电引来。所以雷雨天的时候一定不要站在高树、电线杆、尖塔等这些孤立高耸的物体旁。

光的速度约为每秒钟30万千米，而声音的速度仅仅约为每秒340米。

雨雪天气要注意

哗啦啦下雨了

  雨是一种自然现象，可以让植物喝水，还可以滋润土壤、净化空气，好处多多。不过，雨下多了也会影响植物生长，还有可能引发洪水。

  太阳照射地球，地球上的水受热蒸发变成水蒸气，水蒸气飞到天空，越聚越多就变成了云，当它们的重量达到一定程度时，就降落下来，形成了雨。

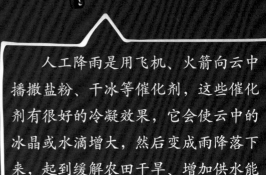

  人工降雨是用飞机、火箭向云中播撒盐粉、干冰等催化剂，这些催化剂有很好的冷凝效果，它会使云中的冰晶或水滴增大，然后变成雨降落下来，起到缓解农田干旱、增加供水能力等作用。

▪ 顽皮的雪花 ▪

冬天来了，大片大片的雪花，像一个个银色的精灵在快乐地玩耍。雪是从哪儿来的呢？

冬天地面温度很低，在冷空气的作用下，水蒸气围着空气中的小微粒取暖，它们越抱越紧，空气托不住了，就变成了雪，落到地面上。如果放大来看，单片雪花有很多个表面，每个表面都像一面小镜子。

地上的水汽飞到空中，遇到较低的温度就会凝结成冰晶，冰晶都是六角形的。而冰晶是雪花的内核，所以雪花也是六角形的。不过有时雪花在降落的过程中会与其他雪花碰撞或融合，也会形成其他形状。

冬天，植物暴露在外面会被冻伤，而雪覆盖在上面就像给他们盖了层棉被，保护了植物。同时，雪可以杀死那些吃植物的虫子。雪融化时还可以给植物生长提供充足的水分。这就是"瑞雪兆丰年"的原因。

美丽的 "彩虹桥"

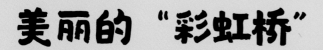

彩虹的成因

夏天，一场阵雨过后，躲在乌云后面的太阳公公又露出了笑脸，这时，天边会出现一道彩虹，别提多漂亮了。彩虹是哪里来的呢？

雨后，空气中会悬浮着无数小水滴。由于组成太阳光的七色光的波长不同，当阳光经过小水滴时，太阳光会被分解，形成红、橙、黄、绿、蓝、靛、紫7种色带，于是，我们就看到美丽的彩虹了。

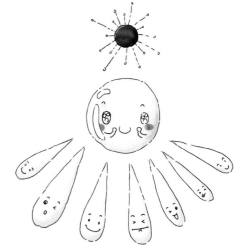

彩虹在哪里

很多人认为只有雨后才会出现彩虹。其实，这种看法是不全面的。在阳光下，瀑布或喷泉的周围也会出现彩虹；夏季，街上奔跑的洒水车后面，有时也会出现彩虹。但不管怎样，我们看到彩虹时，它的位置一定是在太阳的相反方向。

小实验：制作彩虹

材料： 塑料喷壶，水。

方法： 找一个阳光充足的日子，将喷壶装满水，背对着阳光站好。举起喷壶朝着天空喷射，观察水雾中出现了什么。

水雾中出现了一道美丽的彩虹。

当阳光穿过水雾时，水会将阳光中的七色光都分离出来，呈现出 7 种美丽的颜色，也就形成了我们所看到的彩虹。

影子连连看

小朋友，左边的小动物的影子分别对应右边的哪一个呢？

根据示例，快动动手将它们连起来吧！